cuentos tristes
PARA
niños grandes

Cuentos tristes para niños grandes

ISBN: 978-1-7363473-1-7

2021© País Invisible Editores. Santurce, Puerto Rico. 787-649-1281

2021© Emilio del Carril: emiliodelcarril@gmail.com/ www.facebook.com/edelcarril

Editora/correctora: Awilda Cáez (awilda_caez@yahoo.com)

Diagramación e ilustraciones: Julio A. García Rosado (jagr84@gmail.com)

cuentos tristes
PARA
niños grandes

Emilio Del Carril

Ilustraciones por **Julio A. García Rosado**

Este es el libro que le debía al niño
que vive en ti, Emilio Emilio.
Este es el libro que le debía al niño
que vive en mí, Emilio Emilio

Gracias a Zulma Ayes, Georgina Lázaro,
Arlene Carballo, Nilsa Ortega Figueroa,
José Rabelo, José Borges, Gladys Vanessa,
Tina Casanova, Dinah Kortwrith
y Yolanda Arroyo Pizarro por el
trabajo arduo a favor de los niños.

Un ovillo multicolor

La abuela había comprado el ovillo multicolor para hacerle un abrigo a su nieto, pero la muerte de su esposo la dejó vestida de tristeza. Se confinó a la mecedora a tejer extensas tiras de colores pardos, que dejaba en el suelo. A veces se quedaba dormida, a veces intentaba llorar, a veces quería volver a soñar.

Desde la mecedora al lado de la mesita donde estaba la canasta con los materiales para las labores del tejido, ella miraba la casa en la que tanto había amado. Cuando se levantaba a buscar el sueño en su cama antigua, las esferas de estambre sacaban sus pequeños ojos y susurraban entre sí.

—¿Viste lo obeso que está Rainbow? —susurró Marrona.

—¿Hablas del gordito que parece un disparate de colores? —respondió Azul Marino.

—Es una bola tonta, alguien que se respete no se viste de esa forma, pero lo más que me molesta es esa gordura. Los ovillos debemos tener recato, mantenernos en forma y esperar a convertirnos en alguna bufanda hermosa, claro, nosotros somos de modernas fibras sintéticas, no de algodón vulgar —añadió Pardo.

De pronto se miraron y sonrieron con sorna al percatarse de que Rainbow los estaba escuchando y estaba ana-

ranjado del bochorno. Ese día se propuso que tenía que rebajar para ser aceptado en la canasta.

Intentó de todo: dejó de comer, se movió de lado a lado, se mantuvo despierto por días para obtener su meta. Al cabo de unas semanas estaba del mismo tamaño. Entonces, en un acto desesperado, se acercó al borde de la mesa, respiró profundo y se dejó caer al suelo. Parte de él pendía de la cesta. En ese momento sacó un gritito de euforia:

—¡Estoy más delgado!

De inmediato comenzó a rodar y a rebajar. Rodar, soltar, descubrir. Llegó hasta el balcón. Al ver la oscuridad se intimidó. En ese momento se miró y se percató de que era una simple línea de hilo de algodón con colores vívidos. Ya no era un ovillo, ahora era casi nada.

Regresar, necesitaba regresar a la canasta. Decidió que ya no le molestaría el acoso de los demás, y que albergaría la esperanza de que, en algún momento, la abuela iba a recuperar la alegría y lo transformaría en una hermosa boina primaveral. Se encogió un poco y comenzó la marcha en sentido contrario. Pensó que no había una mejor manera de regresar, que transitar sobre el camino andado. Llegó hasta la mesa-casa donde estaba la canasta. En el trayecto se había enredado con toda clase de objetos: botones, hojas secas, un centavo, una canica de cuando el nieto de la abuela era pequeño, el tornillito de los espejuelos del abuelo y una perlita que se le había caído a una pantalla de la hija que apenas visitaba a la anciana. Al mirarse vio que había duplicado el tamaño que tenía cuando comenzó su aventura, pero ahora no le molesta-

ba su apariencia, por el contrario, se sentía hermoso y diferente.

Intentó subir a la mesa, pero era demasiado pesado. Intrigado por los sonidos que provocaba Rainbow en su escalada, Azul Marino se acercó al borde de la mesa y gritó:

—Vengan, vengan, necesito ayuda para subir a nuestro hermano.

«Hermano», pensó el ovillo multicolor. «Nadie me había llamado así antes». Las demás esferas lanzaron sus hilos para subirlo. Cuando lograron terminar el rescate, se disculparon con Rainbow por haber sido crueles con él.

Un día la abuela se sentó en la mecedora y comenzó a cantar una melodía alegre. Poco después, agarró a Rainbow y tejió unas hermosas medias para regalárselas al abuelo muerto.

Zoé y el camino de la felicidad

Zoé, la calabaza japonesa, vivía con sus hermanas en una enredadera gigante que se extendía bajo la sombra de un roble. Pasaban gran parte del tiempo contentas, con excepción de Zoé, quien siempre decía que debía haber un lugar mejor para ser feliz. Pero ¿dónde estaba ese lugar? A todo el que pasaba le preguntaba:

—¿Sabes dónde queda la felicidad?

En general, nadie le hacía caso. Hasta que un día el viejo cuervo se posó en una rama del roble. Zoé aprovechó para hacerle su pregunta recurrente. Sin pensarlo mucho, el ave respondió:

—Mira aquella montaña alta. Desde allí puedes ver el mar que nos rodea. Es un lugar hermoso. Quien viva en la cima, de seguro va a ser muy feliz.

Zoé contempló la montaña. Se dio cuenta de que era muy niña para llegar a la cima. Decidió que lo intentaría cuando fuera más grande. Así que continuó, como siempre, alimentando pajaritos y bañándose bajo la lluvia, para luego secarse con el sol.

Con el tiempo, Zoé se convirtió en una enorme calabaza. Fue la que más creció de las hermanas. Adquirió fuerza y valentía. Estaba lista para subir a la montaña de la felici-

dad. Estaba segura de que allí lograría su meta de bienestar, mientras miraba atardeceres. La ansiedad de que llegara el momento esperado la abrumaba. Zoé se despidió de sus hermanas y comenzó el viaje.

El camino fue difícil. Cruzó ríos y grandes cascadas, terrenos de espinas, piedras filosas y bosques en los que habitaban animales salvajes. Fue una aventura peligrosa, pero al fin llegó. El cielo estaba claro y se veía el mar hasta el horizonte. Hacía una brisa suave y el aire traía el suave aroma de las flores silvestres.

Zoé sintió felicidad, o algo parecido. Contempló el paisaje sentada en una roca. Al poco tiempo se quedó dormida. Despertó al amanecer. Pronto sintió que el sol no calentaba como en su casa. El viento era frío y húmedo, no pasaban pajaritos ni personas por el lugar. El cielo estaba cubierto de nubes y apenas se veía un pedazo de mar gris. La calabaza pensó que aquello tenía que cambiar. Los días pasaron con lentitud. El tiempo empeoró: había comenzado el invierno.

Zoé se sintió tan triste y sola que decidió regresar a su casa, pero tenía que bajar la empinada montaña. Como era redonda, comenzó a rodar sin poder detenerse. En la bajada perdió parte de su corteza. Cuando llegó a la ladera estaba llena de agujeros. ¡Qué muchos golpes se dio en el recorrido atropellado! Nunca imaginó que buscar la felicidad causara tantas cicatrices. Llegó a rastras hasta el roble.

Allí sus hermanas la pintaron con aceite de achiote y le prendieron flores en los agujeros. A los pocos días se sentía aliviada y feliz de estar en su casa.

Un día el cuervo viejo llegó y le preguntó:

—Zoé ¿encontraste el camino a la felicidad?

Ella se quedó pensativa unos instantes. Luego sonrió y le contestó:

—El camino a la felicidad siempre conduce al hogar.

Flores estrelladas

La niña mira el cielo sin luna y divisa cuatro estrellas fugaces. Le pide un deseo a cada una. El sueño la vence. Por la mañana, corre al jardín para ver si sus deseos han sido cumplidos y, en efecto, encuentra cuatro flores que brillan tanto, que casi pueden competir con el sol. Se hace una diadema con ellas y pasea por el bosque. Los árboles adquieren colores hermosos por el reflejo de la luz que emiten las flores estrelladas. La niña se entretiene persiguiendo una mariposa amarilla.

De repente se da cuenta de que ha perdido las flores de luz. En vano las busca. Regresa a su casa entre lágrimas. Sucumbe al mundo de los sueños, mientras se culpa por dejar escapar sus anhelados deseos.

En otro lado del mundo, una niña mira el cielo estrellado. Ve cuatro estrellas fugaces y...

La cebolla loca y sus amigos aromáticos

Era una cebolla loca, muy loca. Como nadie la quería por su olor, se la pasaba provocando lágrimas en todos. La gente no la quería cerca por su aroma peculiar. Cansada de tanto rechazo, después de mucho tiempo, se aisló de todos. Hasta que un día conoció a un ajo rosado, quien también estaba triste porque los cocineros pensaban que estaba dañado. Desde ese momento se hicieron los mejores amigos.

Al darse cuenta de que no la invitaban a las fiestas, decidieron hacer una gran celebración. La mayoría se negó a asistir. Solo respondieron el cilantro, el recao, el orégano, el ají dulce y el pimiento. Aunque eran pocos, bailaron y cantaron hasta el amanecer. Tomaron un descanso para desayunar y continuaron con la jarana hasta el mediodía. El calor de la tarde hizo que el grupo expeliera un olor tan embriagante, que muchos detuvieran sus tareas para aspirarlo, mientras a otros se les despertó un apetito voraz.

La fiesta fue tan divertida, que los investigadores la incluyeron en los libros de Historia. Desde entonces, en todas las casas de la pequeña Isla, los cocineros recrean aquella primera y aromática fiesta en las ollas en las que confeccionan los alimentos.

Nota: Este cuento está inspirado en la obra teatral *La historia del sofrito puertorriqueño*, de la dramaturga Gladys Vanessa.

La rosa extraña

En el jardín mágico de exuberantes rosas azules con ribetes plateados, nació un día, sin aparente explicación, un pequeño capullo rojo.

El rey lo descubrió en uno de sus paseos matutinos y de inmediato lo convirtió en su tesoro más preciado. En todas las fiestas el monarca hacía un aparte para enseñarles a sus invitados lo que él catalogaba como la máxima expresión de belleza y su mayor orgullo.

Los jardineros reales trasplantaron la pequeña planta y aniquilaron a las flores azules. Después de varios años, el jardín fue poblado exclusivamente por hermosos capullos rojos.

Un día, mientras el rey disfrutaba de su paseo matutino, descubrió con asombro una brillante rosa dorada...

Margarita Ita no tiene quien la abrace

En un invernadero de flores exóticas, nació, con solo una hilera de pétalos blancos, Margarita Ita. Desde que era un capullo, observaba con embeleso la corola despeinada del crisantemo, la clásica belleza de la rosa y la exuberancia del clavel.

Nadie le hacía caso a Margarita Ita; las demás estaban demasiado preocupadas en mantener alineados sus pétalos y expeler sus mejores aromas. Todas querían ser elegidas

para adornar el ramo de alguna novia, el altar de una iglesia o el salón de alguna recepción fastuosa.

Margarita Ita le pidió a una orquídea que le diera un abrazo, pero esta la ignoró. Ante la misma petición, la rosa le contestó, con marcado desprecio, que no podía exponerse a arruinar su corola. Las demás contestaron con un rotundo no, mientras comentaban con indignación lo que consideraban un exceso de confianza.

Margarita Ita se deprimió al comprender que por ser fea no tenía amigas. No obstante, y como un sagrado rito, les pedía a las nuevas flores que le dieran un abrazo; pero no obtenía resultados.

Un día nació un yerbajo en una lata mohosa. Margarita Ita estuvo pendiente cuando este produjo un capullo diminuto. Al paso de una semana, se abrió una insignificante florecilla con cinco pétalos blancos desorganizados. Si bien es cierto que se parecía a Margarita Ita, era más pequeña y menos atractiva.

La recién nacida se quedó absorta con Margarita Ita. Después de unos instantes irrumpió en llanto.

—¿Cómo te llamas? —preguntó Margarita Ita asombrada por la reacción de la pequeña.

—Me llamo Camomila Illa y nací con mala suerte.

—¿Por qué dices eso? —preguntó solícita.

La nueva flor miró a Margarita Ita y entre sollozos comentó:

—¿No crees que es terrible para una indeseable como yo, haber nacido al lado de una flor tan extraordinariamente

bella como tú? Además, mi futuro es incierto, ya que la gente me echa en un envase con agua hirviente, para luego tomarme en un té que los tranquiliza. ¿Te imaginas? —dicho esto, bajó la pequeña corola y lloró con desconsuelo.

Al verla, Margarita Ita alargó sus hojas para ofrecerle un abrazo consolador a Camomila Illa, quien, de inmediato, sonrió.

Nunca más Margarita Ita volvió a pedir un abrazo, porque aprendió a darlos muy fuerte, el día que encontró una amiga.

Rita y el abismo

Una mañana de marzo Rita abrió los ojos y se encontró adherida a un árbol de ausubo de los que bordean el sumidero Tres Pueblos de Camuy. Al observar a sus hermanas hojas, vio que algunas de las mayores se tornaban amarillas y se desprendían de las ramas. Grande fue la sorpresa cuando se dio cuenta del abismo por donde caían. En ese instante de sobresalto, se prometió que no terminaría como ellas.

Una ráfaga juguetona de los vientos del sur la descubrió un día y la invitó a dar un paseo. Rita contestó indignada que jamás se expondría a caerse por estar involucrada en deportes extremos. La ráfaga le ripostó:

—El miedo es como la sal, no puedes abusar de él. Por más que te cuides, llegará el día en que vas a comenzar a podrirte. En ese momento desearás haberte divertido un poco, eso, si antes no te come algún insecto.

Rita no le prestó atención y decidió que desde ese momento no cerraría los ojos para, de esa forma, evitar que nadie se la comiera. El miedo le quitó el sueño. Poco a poco se convirtió en una hoja malhumorada y sin amistades. Acurrucada bajo una sombra, huía hasta de los más tibios rayos de sol. Por esta razón se quedó pequeña y sin color.

Una tarde escuchó un ruido extraño. Grande fue su asombro al divisar una enorme oruga azul y plateada que venía directamente hacia ella.

—¡Por favor, no me comas! Mira que soy muy pequeña y amarga, además, si me comes te dará hambre rápido. No sirvo ni para la dieta del ayuno.

—Como quieras, pero es una pena porque un día me convertiré en mariposa y volaré alto para descubrir flores raras que me darán sus mejores néctares. Sería una buena manera de que conozcas el mundo.

Rita mantuvo una expresión de súplica mientras esperaba que la oruga se marchara para tropezar con otra hoja. Entonces respiró aliviada por no haberse convertido en la cena de una aspirante a mariposa.

Las brisas del norte que caracterizan el fresco diciembre de la Isla comenzaron a peinar el árbol-casa de Rita. Muchas de las hojas cedían y caían con suavidad. Desde su escondite, Rita pudo darse cuenta de que las hojas parecían disfrutar el descenso como si fuera un juego. «¿Cómo pueden reírse con algo tan peligroso?», pensó.

Un mediodía, después de varias tardes de lluvias copio-sas, Rita lanzó un grito de terror. Había comenzado a podrirse. De inmediato recordó lo que le había dicho la ráfaga; también recreó la cara de felicidad de sus hermanas cuando caían.

Entonces se armó de valor y se desprendió de la rama que la protegía. Al verla, el viento se puso a jugar con ella, mien-tras el sol le hacía cosquillas doradas convirtiendo la caída en una danza suave y cadenciosa.

Las demás hojas del árbol observaron asombradas cómo Rita desaparecía en el abismo con los ojos cerrados y su pri-mera sonrisa.

ÍNDICE

Emilio del Carril

El escritor puertorriqueño Emilio del Carril, además de ser el primer egresado de la maestría en Creación Literaria con concentración en Narrativa, posee un doctorado en filosofía y letras con especialidad en Literatura Puertorriqueña y Caribeña. Es docente en la Maestría en Creación Literaria, de la Universidad del Sagrado Corazón. Por más de una década ha estado a cargo de los talleres creativos del departamento de Cursos Cortos (Sagrado Global) de este centro docente. Fue presidente del PEN Club Puerto Rico (2012) y de la Cofradía de Escritores de Puerto Rico (2014). Sus libros han recibido premios del PEN Internacional de Puerto Rico (Premio Nacional de Cuento, 2018) y el International Latino Book Awards (Mejor Novela Juvenil, 2016).

Se ha especializado en teoría de la narrativa, en autoficción, el tema erótico-sagrado en la literatura y la microficción. Sus artículos y trabajos creativos se han publicado en revistas, periódicos y portales de América y Europa.

Consulting2Success